Diarmuid and Gráinne
Diarmuid agus Gráinne

GW00656834

Declan Collinge

Illustrated by
Nicola Sedgwick

RED STAG

Published by Mentor Books Ltd
www.mentorbooks.ie

Published in 2018 by:
RED STAG
(a Mentor Books imprint)
Mentor Books Ltd
43 Furze Road
Sandyford Industrial Estate
Dublin 18
Republic of Ireland

Tel: +353 1 295 2112 / 3
Fax: +353 1 295 2114
Email: admin@mentorbooks.ie
Website: www.mentorbooks.ie

A CIP catalogue record for this title is available from the British Library.

ISBN 978-1-912514-11-3

Edited by: Nicola Sedgwick

Visit our website: www.redstag.ie
www.mentorbooks.ie

Fadó in Éirinn nuair a bhí Cormac Mac Airt ina ardrí, mhair buíon chróga laochra. Ba iad sinn na Fianna. Chosain siad Cormac agus throid siad ar son na hÉireann.

Daoine uaisle a bhí sna Fianna agus bhí orthu an-chuid trialacha a dhéanamh chun a chruthú go raibh siad láidir agus cróga go leor chun an t-Ardrí a chosaint.

Ba é Fionn Mac Cumhaill ceannaire na Féinne. Bhí seisean pósta le bean álainn darbh ainm Sadhbh ach chaill sé í nuair a chuir draoi faoi dhraíocht í, rinne eilit di agus thug chun siúil leis í. Bhí mac amháin ag Sadhbh agus Fionn. Oisín b'ainm dó. Ciallaíonn an t-ainm 'fia beag' ó rinneadh eilit dá mháthair.

Long ago in Ireland when Cormac Mac Art was high king, there lived a brave band of warriors known as the Fianna. They protected Cormac and fought for Ireland.

The Fianna were all noblemen and they had to pass many difficult tests to prove they were strong enough and brave enough to defend the High King.

The leader of the Fianna was Fionn Mac Cumhaill. He had been married to a beautiful woman named Sadhbh, but he lost her when a druid turned her into a doe and took her away.

Fionn had one son by Sadhbh. He was called Oisín. The name meant 'little fawn', since his mother had been changed into a deer.

Bhí Diarmuid Ó Duibhne ar dhuine des na laochra ba chróga sna Fianna. Fear óg an-dathúil ba ea é. Bhí cneas bán aige agus leicne dearga.

Bhí ball seirce aisteach aige ar a éadan. Thitfeadh bean ar bith a chonaic an ball seirce i ngrá leis ar an bpointe boise. Chlúdaigh Diarmuid an ball seirce, mar sin, lena hata.

Gráinne b'ainm d'iníon álainn an Ardrí Chormac Mhic Airt. Bean an-éirimiúil ba ea í ach bhí sí an-ceanndána. B'iomaí fear uasal a tháinig chun ceiliúr pósta a chur uirthi ach dhiúltaigh sí dóibh go léir. Bhí náire ar a hathair mar chuir na fir an milleán air féin.

Diarmuid Ó Duibhne was one of the bravest warriors in the Fianna. He was a very handsome young man with red cheeks and fair skin.

Diarmuid had a strange beauty spot on his forehead. Any woman who saw this spot immediately fell in love with him so Diarmuid covered up the spot with his hat.

Gráinne was the beautiful daughter of the High King Cormac Mac Art. She was a clever young woman but she was also very headstrong. Many noblemen came to ask for her hand in marriage but she turned them all down. Her father was ashamed because many of these men blamed him for her refusal.

Maidin amháin bhí Fionn Mac Cumhaill ina shuí leis féin ar fhaiche Almhain. Tháinig a mhac Oisín amach. Bhí Diorraing, an draoi, in éineacht leis.

Cén fáth a bhfuil tú i do shuí chomh luath sin?' arsa Oisín.

D'fhreagair Fionn: 'Is deacair dom codladh ó am go chéile mar tá an-uaigneas orm fós ó d'imigh do mháthair blianta ó shin."

Gheobhaidh mise bean chéile duit,' arsa Diorraing. 'Is í Gráinne iníon an Rí Chormaic, an bhean is deise in Éirinn. Is cinnte go bpósfaidh sí do leithéidse d'fhear mór.'

Níor mhaith le Fionn féin ceiliúr pósta a chur ar Ghráinne agus mar sin, dúirt Oisín agus Diorraing go rachaidís féin go Teamhair thar ceann Fhinn chun ceiliúr pósta a chur ar Ghráinne.

One morning Fionn Mac Cumhaill was sitting alone on the lawn at the Hill of Allen. His son, Oisín, came out. Diorraing, the druid, was with him.

'Why are you up so early, Fionn?' asked Oisín.

Fionn replied, 'I find it hard to sleep at times. I am still very lonely since your mother vanished many years ago.'

Diorraing replied, 'I will find you a wife. Gráinne the daughter of King Cormac, is the most beautiful woman in Ireland. She will surely marry a great man like you.'

Fionn did not want to ask Cormac for Gráinne's hand himself, so Oisín and Diorraing said they would go to Tara on his behalf, and ask for Gráinne's hand.

Nuair a shroich siad Teamhair d'inis siad do Rí Cormac faoi cheiliúr pósta Fhinn. Ghlaoigh Cormac Gráinne isteach agus d'fhiafraigh di an nglacfadh sí le Fionn mar fhear céile. Bhí ionadh ar Chormac nuair a dúirt sí, 'Má tá tusa sásta le Fionn mar chliamhain, cén fáth nach mbeinn sásta leis mar fhear céile?'

D'fhill Oisín agus Diorraing agus d'inis an dea-scéal do Fhionn. Ullmhaíodh fleá mhór ag Teamhair agus tugadh cuireadh dos na Fianna go léir.

Chuir Rí Cormac fáilte rompu ar an bhfaiche. Nuair a chonaic Gráinne Fionn, áfach, bhí malairt aigne aici.

'Cén fáth nár chuir Oisín ceiliúr pósta ormsa?' ar sise lena bean choimhdeachta. 'Tá Fionn liath agus tá sé níos sine ná m'athair.'

When they reached Tara they told King Cormac of Fionn's proposal. Cormac called in Gráinne and asked her if she would accept Fionn as her husband. To Cormac's surprise she answered, 'If you are happy with Fionn as a son-in-law, why would I not be happy with him as a husband?'

Oisín and Diorraing returned and told Fionn the good news. A huge feast was prepared at Tara and all the Fianna were invited.

King Cormac greeted them on the lawn. When Gráinne saw Fionn, however, she had second thoughts.

'Why did Oisín not ask for my hand?' she said to her lady-in-waiting. 'Fionn has grey hair and he's older than my father.'

Chuaigh na
h-aíonna go léir
isteach sa halla bia
agus shuigh chun
boird. Thosaigh
Gráinne ag cur
ceisteanna ar a bean
choimhdeachta faoi
na laochra éagsúla
a bhí sna Fianna.

Agus í ag fiafrú faoi Dhiarmuid thit a hata
de agus chonaic Gráinne a bhall seirce. Thit
sí i ngrá leis láithreach.

Ansin d'iarr sí ar a bean choimhdeachta
gloine fiona speisialta a thabhairt do na
h-aíonna go léir ach amháin Oisín, Oscar,
Caoilte, Diorraing agus Diarmuid. Ba deoch
suain an deoch sin agus ba ghearr gur thit na
h-aíonna eile ina gcodladh go sámh.

The guests all went into the dining hall and sat down at the table. Gráinne began asking her lady-in-waiting about various warriors in the Fianna. As she was asking about Diarmuid, his hat fell off and Gráinne saw his beauty spot. She fell in love with Diarmuid that very moment.

She then asked her lady-in-waiting to give a special glass of wine to each of the guests except for Oisín, Oscar, Diorraing and Diarmuid. The wine had a sleeping potion in it and before long all the other guests fell fast asleep.

Chuaigh Gráinne chuig Diarmuid ansin agus dúirt leis, 'A Dhiarmuid tá mé i ngrá leat. An dtógfaidh tú leatsa mé?'

Thuig Diarmuid gur chosúil go bhfaca Gráinne a bhall seirce ach níor fhéad sé a shéanadh go raibh tarraingt aici air. Bhí sé dílis mar sin féin dá cheannaire Fionn agus d'fhreagair, 'Ní thógfaidh. Ní féidir liom éalú leis an mbean atá luaite le Fionn.'

Labhair Gráinne: 'Cuirim faoi gheasa tú – móid naofa – mar sin, mé a thógáil leat sula ndúisíonn Fionn.'

Ansin níorbh fhéidir le Diarmuid diúltú di. Ach bhí fadhb ann – bhí geataí an pháláis faoi ghlas agus ní raibh a fhios ag Diarmuid cén chaoi a d'fhéadfaidís éalú.

Dúirt Gráinne, 'Bain úsáid as do shleá chun léimt thar na ballaí agus oscail na geataí dom.'

D'fhiafraigh Diarmuid ansin d'Oisín, Oscar, Caoilte agus Diorraing cad ba chóir dó a dhéanamh. Mhol siad uile dó imeacht le Gráinne fiú dá dtarraingeodh sé trioblóid air.

Gráinne then went over to Diarmuid and said to him, 'Diarmuid, I am in love with you. Will you take me away with you?'

Diarmuid realised that Gráinne must have seen his beauty spot, but he couldn't deny he was attracted to her. However, he was loyal to his leader, Fionn, and replied, 'No, I cannot run off with the woman who is to be Fionn's wife.'

Gráinne said, 'Then I put you under a *geasa* – a sacred vow – to take me away with you before Fionn awakens.'

Diarmuid could not now refuse. But there was a problem - the palace gates were locked, and Diarmuid did not see how they could escape.

Gráinne said, 'Use your spear to vault over the walls and open the gates for me.'

Diarmuid then asked Oisín, Oscar and Diorraing what he should do. They all agreed that he must go with Gráinne even if it brought him trouble.

Agus iad taobh amuigh de bhallaí an pháláis labhair Gráinne le Diarmuid.

'Tóg capaill agus carbad m'athar mar is gá dúinn taisteal go tapaidh.'

Nuair a shroich siad an t-áth ar Abhainn na Sionainne ag Áth Luain, shocraigh Diarmuid ar na capaill agus an carbad a fhágáil ina ndiaidh.

'Beidh sé níos fusa do Fhionn lorg chrúba na gcapall a leanúint,' ar seisean.

Ar aghaidh leis an mbeirt acu mar sin, de shiúl cos, trasna na Sionainne gur shroich siad Doire Dá Bhaoth. Thóg Diarmuid bothán anseo a raibh claí mórthimpeall air. Ansin rinne sé leaba de luachra boga do Ghráinne.

Once outside the walls of the palace
Gráinne spoke to Diarmuid.

'Take my father's horses and chariot – we
need to travel fast.'

When they reached the ford on the river
Shannon at Athlone, Diarmuid decided to
leave the horses and chariot behind.

'It will be easier for Fionn to follow the
tracks of the horses' hooves,' he said.

So the pair travelled on foot over the
Shannon until they reached the Wood of the
Two Huts. Here Diarmuid built a hut with
a fence around it. Then he made a bed for
Gráinne out of soft rushes.

Nuair a dhúisigh Fionn thug sé faoi deara go raibh Diarmuid agus Gráinne imithe. Bhí an-fhearg agus éad air. Chuir sé scabhataí á lorg.

Fuair siadsan a lorg agus lean go dtí an t-áth ar an Sionainn iad ach ansin chaill siad a lorg. Nuair a d'iompaigh na scabhataí siar chun tuairisc a thabhairt ar an scéal do Fhionn, chonaic siad go raibh sé féin agus na Fianna tar éis iad a leanúint.

Dúirt Fionn ansin, 'Tá a fhios agam cá bhfuil siad. Tá siad i nDoire Dá Bhaoth.'

Bhí trua ag Oisín, Oscar, Caoilte agus Diorraing do Dhiarmuid. Chuir Oscar Bran, madra Fhinn, ar aghaidh chun rabhadh a thabhairt do Dhiarmuid. Nuair a chonaic Gráinne an madra d'iarr sí ar Dhiarmuid teitheadh ach bhí sé ró-mhórtasach.

'Ní theithfidh mé roimh Fhionn,' ar seisean.

When Fionn woke up he saw that Diarmuid and Gráinne were gone. He was very angry and jealous. He sent his scouts out to follow the pair.

They found the tracks and followed them as far as the ford on the Shannon but there they lost the tracks. As the scouts turned around to go back and report their findings, they saw that Fionn and the Fianna had followed after them.

Fionn said, 'I know where they are. They're in the Wood of the Two Huts.'

Oisín and Oscar, Caoilte and Diorraing all felt sorry for Diarmuid. Oscar sent Fionn's hound, Bran, on ahead to warn Diarmuid. When Gráinne saw the hound she told Diarmuid to run but he was too proud.

'I will not run from Fionn,' he said.

Ansin tháinig Aonghus Óg, fear draíochta
de chuid na Tuatha Dé Danann. B'athair
altrama Dhiarmada é agus ba mhaith
leis teacht i gcabhair ar an lánúin. Bhí sé
ag iarraidh iad a chur faoin a fhallaing
dhraíochta. Bheidís dofheicthe ansin ach
dúirt Diarmuid, 'Tóg leat Gráinne agus
leanfaidh mise sibh.'

Chuir Aonghus Óg Gráinne faoin a
fhallaing agus bhí sí dofheicthe. Thóg sé leis í
amach faoin tuath gar do Luimneach.

Tháinig na Fianna timpeall ar Dhiarmuid
ach d'úsáid sé a shleá chun léimt thar an
gclaí. Ar aghaidh leis ansin agus ba ghearr
gur tháinig sé suas le hAonghus Óg agus
Gráinne. Bhí áthas uirthi siúd é a fheiceáil
beo.

Then Aengus Óg, a magician of the Tuatha Dé Danann, arrived. He was Diarmuid's foster father and he came to help the pair. He wanted to put them both under his magic cloak and make them invisible but Diarmuid said, 'Take Gráinne with you and I will follow on after you.'

Aengus Óg put Gráinne under his cloak and she could not be seen. He took her away to the countryside near Limerick.

The Fianna came and surrounded Diarmuid but he used his spear to vault over the fence. He headed off and soon caught up with Aengus Óg and Gráinne. She was delighted to see him alive.

Sular imigh Aonghus Óg uathu thug sé
comhairle a leasa dóibh: 'Ná téigí i bhfolach
i gcrann nach bhfuil ach stoc amháin air, ná
téigí isteach i bpluais nach bhfuil ach doras
amháin uirthi, ná téigí isteach ar oileán
nach bhfuil ach cuan amháin air. Nuair a
chócarálann sibh bia ná hithigí ansin é ach
bog ar aghaidh go tapa ón áit ina gcodlaíonn
sibh.'

Ghlac Diarmuid agus Gráinne a chomhairle
agus thaistil leo go dtí gur tháinig siad go
Coill Dubhrois. Ba ansin a tháinig siad ar
fhathach a bhí ag cosaint crainn caorthainn.
Bhí sméara draíochta ar an gcrann seo.

An Searbhán Lochlannach a tugadh ar an
bhfathach. Bhí sé ollmhór agus an-ghránna.
Bhí a chuid fiacla cam agus ní raibh ach súil
amháin aige. Bhí coiléar iarainn air agus bhí
cleith ailpín ollmhór iarainn ina láimh aige.

Before Aengus Óg left them he gave them good advice: 'Never hide in a tree with only one trunk, never enter a cave with only one door, never go onto an island that has only one harbour. When you cook food never eat it there and move on quickly from any place you sleep in.'

Diarmuid and Gráinne took his advice and travelled on until they came to the Wood of Dubhros. There they came upon a giant who guarded a rowan tree. This tree had magic berries.

The giant was known as the Bitter Viking. He was massive and very ugly with crooked teeth and only one eye. He wore a collar of iron and he carried a huge iron club.

Dúradh nach raibh ach bealach amháin chun an fathach seo a mharú – sin trí bhuille dá chleith ailpín féin a bhualadh air. Chodail sé sa chrann caorthainn san oíche agus bhíodh sé ar faire, in aice leis, de ló. Bhí ocras agus lagar ar Ghráinne agus d'iarr sí ar Dhiarmuid mám sméara a bhaint den chrann caorthainn.

Labhair Diarmuid leis an bhfathach.

'Ba mhaith le Gráinne, iníon an ard rí mám sméara a ithe.'

D'fhreagair an fathach, 'Ní thabharfainn oiread is sméar amháin di fiú dá mbeadh sí ag fáil bháis.'

'Bainfidh mé na sméara mar sin, má's olc maith leatsa é.'

Bhain an fathach luascadh as a chleith ailpín olmhór ach bhí Diarmuid ró-thapa dó. Sheachnaigh sé an buille agus sháigh an fathach lena shleá. Bhéic an fathach i bpian agus thit an chleith ailpín. Rug Diarmuid uirthi agus bhuail trí bhuille air. Thit an fathach fuar marbh.

It was said that this giant could only be killed if he was struck three times with his own club. He slept in the rowan tree by night and stood guarding it during the day. Gráinne was hungry and weak so she asked Diarmuid to pluck a handful of rowan berries from the tree.

Diarmuid spoke to the giant.

'Gráinne, daughter of the high king would like to eat a handful of these rowan berries.'

The giant replied, 'Even if she were dying I would not give her a single berry.'

'Then I will take the berries whether you like it or not,' said Diarmuid.

The giant swung his huge club but Diarmuid was too fast. He dodged to the side and stabbed the giant with his spear. The giant roared in pain and dropped his club. Diarmuid grabbed the giant's club and hit him three mighty blows. The giant fell down dead.

Suas le Diarmuid agus Gráinne sa chrann caorthainn mar bhí na sméara ba mhilse ag barr an chrainn.

Idir an dá linn lean Fionn agus na Fianna an bheirt acu agus tháinig go Coill Dubhrois. Nuair a chonaic Fionn nach raibh an fathach ag cosaint an chaorthainn, thuig sé go raibh Diarmuid agus Gráinne thuas sa chrann. Shuigh Fionn agus na Fianna faoi bhun an chrainn agus d'fhan ann.

D'iarr Oisín ar Fhionn cluiche fichille a imirt chun an aimsir a mheilt. Bhí an cluiche ag dul in aghaidh Oisín ach, i ngan fhios do Fhionn, chaith Diarmuid sméar anuas. Bhuail sé an fear fichille ba chóir d'Oisín a bhogadh. Bhí Fionn ag buachaint an chluiche trí huaire, nach mór, ach chaith Diarmuid sméar anuas gach uile uair agus bhuail an fear fichille ceart d'Oisín. Faoi dheireadh bhuaigh Oisín an cluiche.

Diarmuid and Gráinne climbed up into the rowan tree because the sweetest berries were at the top.

Meanwhile Fionn and the Fianna were following the pair and came to the Wood of Dubhros. When Fionn saw that the giant was not protecting the rowan tree, he knew Diarmuid and Gráinne were in it. Fionn and the Fianna sat below the tree and waited.

To pass the time Oisín asked Fionn to play a game of chess. The game was going against Oisín, but when Fionn wasn't looking Diarmuid threw a berry down and hit the chess piece that Oisín should move. Three times Fionn was close to winning but each time Diarmuid threw down a berry which hit the right piece for Oisín to move. At last Oisín won the game.

Labhair Fionn. 'Ní haon ionadh gur bhuaigh tú orm, a Oisín, agus Diarmuid ag cabhrú leat.'

Ansin labhair Diarmuid amach.

'Táimid anseo go deimhin i leaba an tSearbháin Lochlannaigh.'

Nuair a d'fhéach Fionn suas thug Diarmuid trí phóg do Ghráinne agus bhí an-éad ar Fhionn.

'Íocfaidh tú go daor as na trí phóg sin,' arsa Fionn.

Arís, tháinig Aonghus Óg i gcabhair orthu. Chuir sé draíocht ar mhórán de laochra na Féinne ionas go raibh crot Dhiarmada orthu. Thosaigh siad ag troid agus, sa rúille búille, mharaigh na laochra sin a gcomrádaithe féin.

Thóg Aonghus Óg leis Gráinne ansin go háit shábháilte fad a léim Diarmuid anuas ón gcrann agus mharaigh gach uile laoch a sheas sa bhealach air. D'éalaigh sé leis ansin.

Fionn exclaimed, 'It's no wonder you won the game, Oisín, with Diarmuid helping you.'

Just then Diarmuid spoke up.

'Yes, we're here, Fionn, in the bed of the Bitter Viking giant.'

As Fionn looked up, Diarmuid gave Gráinne three kisses and this made Fionn madly jealous.

'You will pay dearly for those three kisses,' said Fionn.

Then, once more, Aengus Óg came to the rescue. He cast a spell and changed the appearance of many of the Fianna warriors so they all looked like Diarmuid. Fighting broke out in the confusion and many warriors were killed by their own comrades.

Aengus Óg took Gráinne away to safety, while Diarmuid leaped down from the tree and killed every warrior that stood in his way. He then made his escape.

D'imigh sé bliana dhéag. Bhí Diarmuid agus Gráinne ag imeacht ó áit go háit chun éalú ó Fhionn agus na Fianna.

Ansin, go moch maidin amháin, chuaigh Aonghus Óg chuig Fionn agus d'fhiafraigh de an ndéanfadh sé síocháin le Diarmuid. Bhí Fionn sásta é sin a dhéanamh. Chuaigh Aonghus ansin chuig Diarmuid agus Gráinne agus d'fhiafraigh díobh an ndéanfaidís féin síocháin le Fionn. Bhí Diarmuid sásta é sin a dhéanamh dá bhfaigheadh sé bronntanas den talamh is fearr in Éirinn.

Sa chaoi seo, rinne Fionn síocháin agus mhaith sé do Dhiarmuid. Phós an lánúin agus bhog go Ráth Gráinne i Sligeach. Shocraigh siad síos agus bhí cúigear páistí acu, ceathrar mac agus iníon amháin. Bhí siad go sona sásta lena chéile.

Sixteen long years passed with Diarmuid and Gráinne moving from place to place around Ireland to evade Fionn and the Fianna.

Then, early one morning, Aengus Óg went to Fionn and asked him if would make peace with Diarmuid. Fionn agreed, so Aengus then went to Diarmuid and Gráinne and asked if they would make peace with Fionn. Diarmuid agreed to do so if he was given a gift of the best land in Ireland.

And so it was that Fionn made peace and forgave Diarmuid. The couple married and moved to Rath Gráinne in Sligo where they settled down. They had five children, four sons and one daughter and were very happy together.

Labhair Gráinne le Diarmuid, lá. 'Is mór an náire é nár tháinig an bheirt fhear is fearr in Éirinn, Fionn Mac Cumhaill agus m'athair, an Rí Cormac, go dtí ár dteach riamh. Céard faoi féasta a thabhairt agus cuireadh a thabhairt dóibh beirt?'

Bhí Diarmuid sásta agus thug sé féin agus Gráinne féasta mór. Tháinig Fionn, na Fianna agus Rí Cormac. Bhí an féasta ar siúl ar feadh seachtaine.

An oíche dheireanach, tamall tar éis do 'chuile dhuine a bheith ina luí, dhúisigh Diarmuid agus dúirt le Gráinne gur chuala sé madra ag sceamhaíl. Dúirt sise leis dul a chodladh arís ach nuair a chuala sé an madra ag sceamhaíl dhá uair eile ina dhiaidh sin d'éirigh sé chun an scéal a fhiosrú. Bhí imní ar Ghráinne agus mhol sí dó an dá shleá ab fhearr leis a thógáil agus a mhadra seilge.

Gráinne spoke to Diarmuid one day.

'It's a shame that the two best men in Ireland, Fionn Mac Cumhaill and my father, King Cormac, have never come here to our home. Maybe we should have a feast and invite them both.'

Diarmuid agreed and he and Gráinne put on a huge feast. Fionn, the Fianna, and King Cormac all came and the revelries lasted for a week.

On the final night, some time after everyone went to bed, Diarmuid woke from his sleep and told Gráinne that he had heard a hound howling. She told him to go back to sleep but when he heard the hound howl twice more he got up to investigate. Gráinne was worried so she made him take his two best spears and his hunting hound with him.

Lean Diarmuid sceamháil an mhadra gur tháinig go hardchlár mór Bhinne Gulbain. Suas leis go barr an tsléibhe mar ar tháinig sé ar Fhionn ina shuí leis féin. Dúirt Fionn go raibh na Fianna ag seilg toirc allta Bhinne Gulbain, ainmhí dubh, gránna, gan chluasa, le starfhiacla ollmhóra. Bhí tríocha laoch maraithe cheana féin ag an ainmhí.

Ansin chuir Fionn Diarmuid faoi gheasa – móid naofa – an torc a mharú. Ní raibh aon dul as ag Diarmuid ach é sin a dhéanamh. Dúirt Fionn ansin leis an bhfear óg go bhfaigheadh seisean bás chomh maith nuair a mharódh sé an torc. Bhí Fionn tar éis a iarraidh ar dhraoi Diarmuid a chur faoi dhraíocht ionas go raibh a shaol agus saol an toirc ar chomhfhad.

Thuig Diarmuid ansin gurbh í seo seift ghlic Fhinn chun díoltas a bhaint amach faoi dheireadh.

Diarmuid followed the sound of the hound's howling, which led him to the great table mountain of Ben Bulben. Up he climbed to the top of the mountain, where he found Fionn sitting alone. Fionn told Diarmuid that the Fianna were hunting the wild boar of Ben Bulben, a fierce and hideous black animal with enormous tusks and no ears. The animal had already killed thirty warriors.

Then Fionn put Diarmuid under a *geasa* – a sacred vow – to kill the boar. Diarmuid could not refuse. Fionn told the younger man that he would also die once he killed the boar. Fionn had a druid cast a spell so that Diarmuid now shared his life with that of the boar.

Diarmuid knew then that this was Fionn's cunning plan: to get his revenge, finally.

Leis sin tháinig an torc de ruathar aníos an sliabh. Bhí na Fianna sa tóir air ach níor fhéad siad an t-ainmhí a bhualadh lena sleánna.

Scaoil Diarmuid a mhadra seilge ach bhí an torc chomh fíochmhar sin gur theith an madra uaidh le heagla. Chaith Diarmuid ceann den a shleánna leis an torc ach is ar éigean a scríob sí an t-ainmhí.

Ansin thug an torc faoi Dhiarmuid agus leag é. Rug Diarmuid ar an ainmhí agus choinnigh sé greim air. Rith an t-ainmhí aníos an sliabh agus Diarmuid ar a dhroim. Rinne sé iarracht Diarmuid a chaitheamh de ach bhí greim dhaingean aige air.

Faoi dheireadh scaoil Diarmuid a ghreim den ainmhí ar bharr an tsléibhe. D'ionsaigh an torc Diarmuid arís, sháigh é agus ghoin go dona é. Chaith Diarmuid an tsleá eile leis an ainmhí ar theann a dhíchill. Bhuail sé an torc agus mharaigh faoi dheireadh é.

Just then, the boar rushed up the mountain. The Fianna were following but they could not hit the animal with their spears.

Diarmuid let his hunting hound loose but the boar was so ferocious that the dog ran away in fright. Diarmuid flung one of his spears at the boar but the spear hardly scratched the animal.

Then the boar charged at Diarmuid and knocked him down but he caught hold of the animal and held on. The beast rushed up the mountain with Diarmuid clinging to its back. It tried to throw Diarmuid off but he held on tightly.

At the top of the mountain Diarmuid finally let go of the boar. The boar attacked Diarmuid again and gored him, wounding him badly. Diarmuid took his other spear and flung it with all his might. He hit the boar, finally killing the animal.

Bhí Diarmuid ina luí ar an talamh agus é ag fáil bháis nuair a tháinig Fionn agus na Fianna aníos an sliabh. Dúirt Fionn 'Is breá liom tú a fheiceáil mar seo tar éis a bhfuil déanta agat orm.'

Bhí cumhacht leighis ag Fionn: dá dtabharfadh sé deoch uisce óna lámha do dhuine gortaithe, thiocfadh biseach ar an duine sin. D'iarr Diarmuid deoch uisce air. Chuaigh Fionn go dtí an tobar ach scaoil sé an t-uisce trína lámha.

D'impigh Oscar air, 'Tabhair deoch do Dhiarmuid ó do lámha.'

Chuaigh Fionn chun an tobair an dara huair ach, arís, dhoirt sé an t-uisce.

Ansin scread Oscar go feargach: 'Tabhair deoch do Dhiarmuid nó ní fhágfaidh an sliabh seo ach duine amháin dínn beo.'

Bhí doilíos croí ar Fhionn. Chuaigh sé go dtí an tobar don tríú huair, agus d'ardaigh uisce ina lámha ach, sular shroich sé Diarmuid, bhí sé marbh.

Diarmuid lay on the ground dying when Fionn and the Fianna came up the mountain. Fionn said, 'I'm glad to see you like this after all you've done to me.'

Fionn had magic powers of healing: if he gave an injured person a drink of water from his hands the person would get better. Diarmuid asked for some water and Fionn went to the well but he let the water run though his hands.

Oscar pleaded with Fionn, 'Give Diarmuid a drink from your hands.'

Fionn went to the well a second time but, once more, he let the water spill.

Then Oscar shouted angrily, 'Give Diarmuid some water or only one of us will leave this mountain alive!'

Fionn felt remorse. He went to the well a third time and took some water in his hands but, before he reached Diarmuid, he had died.

Bhí Gráinne ag féachaint amach óna baile ag Ráth Grainne nuair a chonaic sí Fionn agus na Fianna ag teacht. Bhí madra seilge Dhiarmada ar éill ag Fionn.

Nuair a chonaic Gráinne é sin, bhí a fhios aici go raibh Diarmuid marbh. Baineadh preab aisti agus thit sí i laige. Nuair a tháinig sí chuici féin d'iarr sí ar Fhionn madra seilge Dhiarmada a thabhairt ar ais di ach dhiúltaigh sé di. 'Ní thabharfaidh mé ar ais duit an madra,' arsa Fionn, 'nach bhfuil an madra seo tuillte agam tar éis an méid dár thóg sé uaim?'

Sciob Oisín an madra ó Fhionn agus thug ar ais do Ghráinne é. Ansin chuir sí a giollaí amach chun corp Dhiarmada a bhreith ar ais. Tháinig Aonghus Óg fad a bhí na giollaí ag filleadh leis an gcorp.

Gráinne was looking out from her home at Rath Grainne when she saw Fionn and the Fianna coming. Fionn had Diarmuid's hunting hound on a leash.

When Gráinne saw that she knew that Diarmuid was dead. She fainted with the shock. When she came to she asked Fionn to give her back Diarmuid's hunting hound, but he refused.

'No,' said Fionn. 'Don't I deserve this hound after all he has taken from me?'

Oisín snatched the hound from Fionn and handed it over to Gráinne. Then she sent her servants off to bring back Diarmuid's body. Aengus Óg arrived as the servants returned with the body.

Ghoil Aonghus Óg deora goirte nuair a chonaic sé corp Dhiarmada.

'A Dhiarmuid,' ar seisean, 'ba thusa mo mhac altrama ó bhí tú bliain d'aois. Anois tá tú marbh agus is mór an t-uafás é gurbh é Fionn ba chúis leis. Tógfaidh mé ar ais go Brú na Bóinne tú agus cuirfidh mé faoi na clocha ansin tú.'

Cuireadh corp Dhiarmada mar sin ag Brú na Bóinne. Bhí Gráinne sásta ligean dá chorp a bheith curtha ann.

Ghlaoigh sí ar a ceathrar mac agus dúirt, 'Mharaigh Fionn bhur n-athair cróga. Seo daoibh a chuid arm agus a chathéide. Tá súil agam go mbeidh an lá libh i ngach cath. Foghlaim comhrac i gceart ionas go mbainfidh sibh sásamh as Fionn Mac Cumhaill amach anseo, dá ndearna sé.'

Aengus Óg cried bitterly when he saw Diarmuid's body.

He said, 'Diarmuid, you were my foster son since you were only a year old and now you are dead. It is an outrage that Fionn caused your death. I will bring you back now to Newgrange where I will bury you under the stones.'

So Diarmuid's body was buried at Newgrange. Gráinne was happy to allow Diarmuid's body to be buried there.

She called her four sons and said, 'Fionn has killed your brave father. Here are his weapons and his armour. I hope they bring you victory in every battle. Learn to fight well so that, in time, you can pay Fionn Mac Cumhaill back for what he has done.'

Other books in the
FADÓ IRISH LEGEND SERIES